올리버 트위스트

글 찰스 디킨스 | 그림 피ㅌ ... ... | 옮긴 유영

스푼북

구빈원*에서

올리버 트위스트는 고아였어. 그의 어머니는
올리버를 낳던 날 돌아가셨단다. 올리버의 아
버지가 누구인지는 아무도 몰랐대. '트위스트'
라는 성도 교회 직원이 지어 준 거래. 그곳에는

*구빈원: 생활 능력이 없거나 가난한 사람들을 돕는 시설.

범블이라는 이름의 직원이 있었어. 범블은 쉽게 말하자면 교회 경찰이었어. 그는 고아들의 집을 찾아 주고 보살핌을 받도록 돕는 일을 했지. 하지만 아이들에게 쏟을 시간이 많지 않았어.

올리버는 보육원에서 자랐어. 부모가 없는 어린아이들을 돌봐 주는 곳 말이야. 보육원 운영은 그 지역의 교회가 도맡아 했는데, 아이들에게 돈을 많이 쓰지는 않았어. 그래서 아이

들이 좋아하는 장난감, 케이크, 크리스마스트리 같은 건 늘 부족했지.

보육원 원장은 만 부인이었어. 만 부인은 너무나 이기적인 사람이었고, 아이들을 위해 써야 할 돈 대부분을 몰래 빼돌리기까지 했지. 그래서 보육원 아이들은 늘 배고팠어. 옷은 항상 낡고 해져 있었고, 몸에 맞지 않게 너무 작거나 너무 크기 일쑤였단다.

아홉 살이 된 올리버 트위스트는 창백하고
비쩍 마른 소년이었어. 하지만 똑똑하고 친절
하며 용기가 있었지. 올리버는 이제 아홉 살이
라 보육원에서 나와야 했어.

범블 씨는 올리버를 구빈원에 데리고 갔어.
그곳은 불쌍한 사람들에게 일을 시키는 대신
먹여 주고 재워 주는 곳이었어. 물론 변변치는
않았지만 말이야.

올리버가 하는 일은 배에서 쓰던 밧줄을 재활용하기 위해 일일이 푸는 작업이었어. 타르*가 잔뜩 묻은 밧줄을 푸는 일은 너무나 따분하고 손도 아팠지.

일이 끝나면 올리버와 아이들은 넓은 강당에서 밥을 먹었어. 강당 한쪽 끝에 커다란 구리 그릇이 있어서, 구빈원 원장이 국자로 음식을

*타르: 목재 틈새로 바닷물이 새어 드는 걸 막기 위해 배에 칠했던 검은색의 끈끈한 액체.

떠서 나눠 줬지. 메뉴는 거의 희멀건 죽이었어.
그마저도 아이들에게 허락된 양은 딱 한 국자
뿐이었지. 온종일 먹는 음식은 그게 다였어.
특별한 행사가 있을 때만 작은 빵 한 조각을
겨우 얻어먹을 수 있었어.

이렇게 몇 달이 흐르자 올리버 트위스트와 친구들은 서서히 굶주려 갔어. 음식을 간절히 원했던 아이들은 누군가 나서서 목소리를 내야 한다고, 음식을 더 요구해야 한다고 의견을 모았어. 그리고 그 일을 올리버 트위스트에게 맡겼지.

저녁이 되자 아이들은 각자의 자리에 앉았어. 요리사 복장을 한 원장이 구리 그릇 앞에 자리를 잡았지.

아이들은 희멀건 죽을 받았어.

그리고 마지막 한 방울까지 싹싹 긁어 먹었어.

아이들은 수군거리다가 올리버에게 윙크를 했어. 몇몇은 올리버의 옆구리를 쿡쿡 찔렀지.

굶주림과 고통에 절박해진 올리버는 밥그릇과 숟가락을 들고 자리에서 일어났어. 그리고 원장에게 걸어갔지.

"원장님, 죽을 좀 더 먹고 싶어요."

올리버가 말했어.

당황한 원장의 얼굴이 창백해졌어. 그는 놀란 표정으로 올리버를 잠시 쳐다보았지. 강당에 있던 소년들은 두려움에 바들바들 떨었어.

"뭐라고?"

원장이 믿을 수 없다는 듯 소리쳤어.

"죽을 더 주세요. 제발요."

원장은 들고 있던 국자로 올리버의 머리를 세게 때렸어. 그리고 범블 씨에게 고래고래 소리를 질렀지.

범블 씨는 구빈원을 운영하는 신사들에게 올리버를 데리고 갔단다. 모두가 올리버와는 다르게 잘 먹고, 잘 차려입은 사람들이었어.

범블 씨가 들어갔을 때 이 신사들은 매우 중요한 회의를 하던 중이었어. 범블 씨는 큰 소리로 외쳤지.

"실례합니다, 여러분! 올리버 트위스트가 더 많은 양의 음식을 요구했습니다!"

모두가 놀란 얼굴로 돌아보았어.

하얀 조끼를 입은 신사가 소리쳤어.

"더 많은 양을? 정해진 배급량을 다 먹어 놓고 더 달라고 요구했다는 겁니까?"

"그렇습니다."

범블 씨가 대답했어.

"이런 아이들이 꼭 문제를 일으키죠. 뻔합니다."

다른 신사가 말했어.

그들은 올리버를 밤새 가둬 놓았어. 그리고 다음 날 아침, 구빈원 밖에는 포스터가 붙었어. 누구든 5파운드만 내면 올리버 트위스트를 데려갈 수 있다는 내용이었지.

오래되지 않아 올리버를 데려가겠다는 사람이 나타났어. 바로 장의사 소어베리 씨였지. 키가 크고 야윈 그는 올이 다 드러난 검은 양복을 입고 있었어.

그는 올리버가 쓸모 있겠다고 생각했어. 관 만드는 공방에서 청소를 시키면 되니까.

소어베리 씨는 그렇게 나쁜 사람이 아니었어. 올리버는 아직 완성되지 않은 관들이 가득한 방에서 잠을 자야 했지만, 그래도 구빈원에서 사는 것보다는 나았지. 하지만 소어베리 씨의 부인은 남편과 달랐어. 소어베리 부인은

성질이 고약하고 심술궂었고, 무엇보다 올리버를 좋아하지 않았지.

소어베리 씨에게는 노아라는 조수가 한 명 더 있었어. 노아는 자기가 올리버보다 훨씬 낫다고 생각했어. 그리고 올리버를 '구빈원'이라 부르며 놀리거나 올리버의 어머니를 '나쁜 사람, 정말 몹쓸 사람'이라며 모욕했어.

사실 올리버는 어머니에 대한 기억이 없었어. 하지만 비록 이름조차 모르는 어머니

라도 모욕당하게 둘 수는 없었어.

　어느 날 노아의 놀림이 선을 넘으면서 두 사
람은 싸우게 되었어. 올리버가 싸움에서 이기
자 노아는 소어베리 부부에게 곧장 고자질을
해 버렸어.

소어베리 부부는 마치 판사처럼 올리버에게
잘못을 캐물었지.

"노아가 우리 엄마한테 이상한 별명을 붙였
어요. 그래서 때린 거예요."

올리버가 말했어.

"그게 어때서? 너희 엄마는 그렇게 불려도
싸. 아니 그보다 더 나쁜 사람이야."

소어베리 부인이 말했어.

"아니거든요."

"맞아."

"거짓말이에요!"

올리버가 소리치자 소어베리 부인이 갑자기 눈물을 쏟았어. 소어베리 씨는 부인을 봐서라도 가만히 있을 수가 없었지. 그는 올리버를 몇 대 때리고는, 작업실에 있는 침대로 쫓아내 버렸어.

홀로 남은 올리버는 여기에 자기를 위한 것은 아무것도 없다는 걸 깨달았어.

가족도 없고.

미래도 없었지.

그래서 결국 도망치기로 했어.

페이긴의
집에서

작업실 덧문 틈으로 새벽 햇살이 새어 들어 오자, 올리버는 곧바로 자리에서 일어났어. 올리버는 조용히 문을 열고 거리로 나갔어. 그리고 잠시 멈춰 서서 생각했지.

왼쪽으로 갈까, 오른쪽으로 갈까?

올리버는 왼쪽으로 걷기 시작했어. 언덕을 지나고

들판을 지났어. 떨리는 마음으로 만 부인의
보육원을 지나쳐서 큰길에 도착했지. 올리버
는 이정표* 옆에 앉았어.

*이정표: 어느 곳까지의 거리 및 방향을 알려
주는 표지.

이정표에는 '런던까지 70마일'이라고 적혀 있었어.

멀어도 괜찮았어. 올리버는 돈을 벌기 위해 멀리 떠나기로 마음먹었거든.

올리버는 길에서 만난 사람들 덕분에 며칠을 버틸 수 있었어. 한 도로 보수원은 빵과 치즈를 주었고, 어떤 할머니는 올리버에게 돈을 조금 나눠 줬지.

일곱 번째 날, 올리버는 절뚝거리며 런던 근처 바넷이라는 곳에 도착했어. 올리버는 어느

집 앞 문간에 털썩 쓰러졌어. 너무너무 지친 상태였거든.

잠시 후 올리버는 자기 또래 사내아이가 쳐다보고 있는 걸 눈치챘어. 키가 작은 소년은 들창코에 작지만 예리한 눈을 갖고 있었지.

"안녕! 별일 없어?"

그 소년이 올리버에게 말했어.

"나 너무 배고프고 힘들어. 7일 동안 내내 걸었거든."

올리버가 대답했어.

"7일 동안 걸었다고? 일단 뭘 좀 먹어야겠구나. 내가 갖다줄게."

소년은 근처 가게에서 빵 한 덩이와 햄을 사다 줬어. 이 새 친구의 이름은 잭 도킨스였어.

다른 사람들은 대부분 '솜씨 좋은 다저'라고
불렀지.

"런던에 가는 거야?"

잭이 물었어.

"응."

"어디 지낼 곳은 있어?"

"아니."

"돈은?"

"없어."

"나도 오늘 밤 런던에 갈 건데, 거기 사는
점잖은 신사분을 알고 있어. 그 사람이라
면 공짜로 잘 곳을 마련해 줄 거야."

잭과 올리버는 런던을 향해 온종일 걸었단다. 그들은 저녁 7시쯤 런던 빈민가에 도착했어.

거리는 좁고 사방이 진흙투성이였지. 남자, 여자 할 것 없이 문간에 드러누워 있었어. 아기들은 무너질 것 같은 집에서 소리

를 질러 댔고, 어린아이들은 아무 데나 돌아
다녔어.

올리버가 여길 벗어나야겠다고 생각하고
있는데 잭이 갑자기 팔을 붙잡더니 어떤 집
으로 올리버를 데리고 갔어. 도로 끝에 있
는 집에 다다르자 험상궂게 생긴 남자가

한 손에 초를 들고 얼굴을 내밀었어. 그 뒤에는 여자도 한 명 보였지.

"어머, 다 저잖아."

여자가 말했어.

"안녕하세요, 낸시."

잭이 인사했어.

"혼자가 아니로군. 저 녀석은 누구지?"

남자가 으르렁거리는 목소리로 물었어.

"새 친구예요. 페이긴 씨는 위에 계신가요?"

"장물*을 정리 중이야."

남자가 대답했어.

올리버와 잭은 삐걱거리는 어두운 계단을 올라갔어. 그리고 꼭대기 층에 다다르자 잭이

---

*장물: 강도, 사기 등 재산 범죄에 의하여 불법으로 가진 남의 재물.

문을 열었어. 방은 먼지와 그을음으로 온통 시
커멓게 보였단다. 그리고 탁자에는 올리버 또
래로 보이는 소년 네 명이 앉아 있었지. 반대
편 벽에는 낡은 부대로 만든 침대도 여럿 보
였어.

불가에서는 주름이 가득한 노인이 기다란 포크를 들고 소시지를 굽고 있었어. 빨간 머리는 엉겨 붙어 있었고 코트도 지저분했지.

"페이긴 씨, 제 친구 올리버 트위스트예요."

잭이 노인에게 올리버를 소개했어.

페이긴은 올리버 쪽으로 꾸벅 고개를 숙였어.

"만나서 반갑군."

페이긴 씨가 말했어.

다른 아이들도 올리버를 환영해 주었단다.
아이들은 올리버와 악수를 하고 코트와 모자
를 벗겨 주었어. 심지어 주머니에 든 것도 대
신 꺼내 주려 했지. 올리버의 주머니는 텅 비
어 있어서 이런 도움이 필요 없었지만 말이야.

탁자 위에는 손수건이 잔뜩 쌓여 있었어.
페이긴은 올리버의 시선을 눈치채고는 이렇게
말했어.

"빨려고 내놓은 거야. 별거 아니란다. 하하!"

혹시 아래층 남자가 말한 '장물'이 이걸 뜻
하는 걸까?

올리버는 혼란스러웠지만, 우선 너무 배가 고팠어. 그는 나눠 준 소시지를 맛있게 먹었단다. 그런데 오래 걸은 후에 음식을 먹으니 너무 졸린 거야. 올리버는 부대 자루로 만든 침대에 쓰러졌고 곧 깊은 잠에 빠졌어.

그곳 소년들은 매일 낮 동안 집을 비웠어. 그들은 올리버에게 친절했지. 마치 모두가 한 가족 같았어. 아이들은 나갔다가 돌아올 때면

다들 손수건, 지갑, 시곗줄, 때로는 시계까지
갖고 들어왔어.

　그러면 페이긴은 이 물건들을 유심히
살펴보고, 때로는 그 물건을 가
져온 아이를 칭찬하기도 했어.
반면 빈손으로 돌아오는 아
이에겐 엄청 화를 냈지.
이 아이들은 어디
에서 이런 물건을
만들어 오는 걸까?

올리버는 알 수가 없었어.

올리버는 페이긴이 좀 무서웠어. 그가 먹을 것도 주고 쉴 곳도 주는데 말이야. 하지만 훨씬 더 무서운 사람은 아래층에 사는 빌 사이크스였어. 욱하는 성질이 있었거든. 사이크스는 종종 낸시라는 여자와 싸웠는데, 그 소리가 위층까지 들리곤 했어.

낸시 역시 사이크스를 무서워하는 듯했지
만 그러면서도 그를 사랑하는 것 같았어. 올
리버에게 친절했던 낸시는 늘 올리버를 보며
미소를 짓고 잘 지내느냐고
물어봤어. 올리버는 뭐라고
대답을 해야 할지 몰랐지
만 그런 질문을 받는 것
자체가 기분이 좋았지.

우연히 들은 바로는 사이크스와 페이긴이 동업자*랬어. 그런데 두 사람은 무슨 사업을 하는 거지?

올리버는 페이긴의 집에 온 지 일주일 만에 그 답을 알게 되었어. 올리버가 잭, 찰리와 함께 길을 걷던 중이었어. 이제 올리버도 아이들과 제법 친해져서 다른 사람들처럼 잭을 '솜씨 좋은 다저'라는 별명으로 부르게 되었지. 갑자기

*동업자: 같이 사업을 하는 사람.

다저가 멈춰 서서 물었어.

"신문 가판대 옆에 있는 남자 보여? 초록색 코트를 입은 사람?"

"좋았어."

찰리가 대답했어.

올리버는 가만히 서서 두 친구의 모습을 지켜보았어. 둘은 초록색 코트를 입은 남자 뒤로 살금살금 다가갔어. 남자는 가판대 앞에서 책을 읽고 있었지.

올리버는 너무 놀랐어. 다저가 신사의 주머
니에 손을 쓱 집어넣더니 거기서 손수건을 꺼
내는 거야.

그 순간 올리버는 깨달았어. 아이들이 매일
나가서 뭘 하는지. 아이들이 가지고 왔던 손수
건, 공책, 시계가 어디에서 난 건지.

친구들은 모두 소매치기와 도둑이었던 거야!
올리버는 너무 놀라고 섬뜩해서 그 자리에
그대로 굳어 있었어.

그런데 바로 그 순간, 신사가 자기 주머니에
손을 넣다가 다저가 소매치기하는 장면을 목
격했어.

다저와 찰리는 '걸음아 나 살려라!' 하면서
도망을 쳤어.

올리버도 같이 뛰었지.

하지만 올리버는 다른 두 아이처럼 빠르지
도, 능숙하지도 않았어.

"도둑 잡아라!" 하는 소리가 울려 퍼질 때쯤
다저와 찰리는 이미 사라지고 없었어. 하지만
올리버는 모퉁이를 돌기도 전에 덩치 큰 사람
과 부딪쳐 넘어지고 말았어. 올리버 주
위로 사람들이 모여들었지. 쓰러진

올리버는 흙과 먼지투성이가 되었어.

사람들 틈으로 가판대에 서 있던 신사와 경
찰이 나타났어.

"맞아요, 저 아이입니다."

신사가 말했어. 하지만 그는 화가 난 얼굴이
아니었어. 올리버를 예전에 어디에서 보았는지

기억을 더듬는 것 같은 표정이었지.

경찰관은 올리버의 목덜미를 잡고 쓰러진
그를 일으켜 세웠어.

"제가 한 짓이 아니에요."

올리버가 말했어.

"잡히면 다들 그렇게 말하더군."

경찰관은 콧방귀를 뀌었어.

브라운로우 씨의
집에서

　그 후 몇 시간이 어떻게 흘러갔는지 모르겠어. 올리버는 경찰서로, 그리고 법정으로 끌려다녔어. 도둑질을 본 유일한 목격자는 손수건을 도둑맞은 브라운로우 씨였지.

　이 신사는 올리버에게는 아무 죄가 없다고 말했어. 정말로 도둑질을 한 건 다른 아이들이라고 말했지.

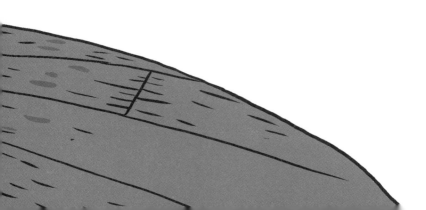

재판이 끝나고, 올리버는 풀려났어. 잠시 후 브라운로우 씨가 법정을 나서다가 하얗게 질린 얼굴로 벌벌 떨며 인도에 누워 있는 올리버를 발견했어.

"불쌍한 녀석! 누가 택시 좀 불러 주시오, 빨리요!"

브라운로우 씨가 소리쳤어.

올리버는 무슨 일이 일어나고 있는지도 모른 채 택시 뒷자리에 누웠어. 브라운로우 씨도 따라 탔지. 덜거덕거리는 바퀴 소리와 쿵쿵거리는 말발굽 소리에도 올리버는 깊은 잠에 빠져 버렸어.

올리버는 따뜻하고 편안한 침대에서 눈을 떴어. 어느 나이 든 부인이 올리버를 쳐다보고 있었지. 올리버가 일어나려 하자 부인이 차분하게 말했어.

"쉿, 좀 더 쉬어. 충분히 휴식을 취하지 않으면 언제 또 아플지 몰라."

"제가 아팠나요?"

"열이 났어. 그나마 최악의 상황은 넘겼단다."

방문이 열리고 남자가 걸어 들어왔어. 브라운로우 씨였지. 그는 올리버가 깨어난 걸 보고 미소를 지었어.

침대 옆으로 다가와 올리버를 바라보던 브라운로우 씨는 이렇게 말했어.

"이제야 얼굴빛이 좀 돌아왔구나. 정말 다행이야."

이후 며칠 동안 올리버는 건강을 회복했어.
올리버는 이곳이 존 브라운로우 씨의 집이라
는 걸 알게 되었어. 노부인은 이 집에서 일하는
가정부였지. 두 사람 다 무척 친절했고, 올리버
를 진심으로 걱정해 주었단다.

이곳에서 올리버는 잘 먹고 원하는 만큼 잠
도 푹 잤어. 태어나서 이런 대접을 받아 보는
건 처음이었지. 브라운로우 씨는 깨끗한 옷까
지 한 벌 사다 주었어.

올리버는 종종 지난 일과 관련된 악몽을 꾸
곤 했어. 하지만 꿈 이야기를 브라운로우 씨
나 친절한 가정부 할머니에게는 하지 않았지.

그래서 두 사람이 보기에 올리버는 마냥 편안하고 행복해 보였어.

어느 날, 올리버는 브라운로우 씨와 서재에 있었어. 책으로 가득한 서재 벽에는 그림이 많이 걸려 있었지. 그중에는 아름다운 여인의 그림도 있었어. 올리버는 그림 속 주인공이 누구인지 전혀 몰랐지만, 이상하게도 낯이 익었지.

브라운로우 씨가 올리버와 초상화를 번갈아 쳐다보았어. 하지만 곧바로 고개를 절레절레 젓고는 책 이야기를 시작했어. 올리버에게 여기에 있는 책은 언제든 마음껏 읽어도 좋다고 말했지.

그러다 브라운로우 씨가 갑자기 손으로 자기 이마를 탁 쳤어.

"무슨 일이신가요?"

올리버는 자신을 구해 준 신사에게 공손하게 물었어.

"세상에, 책값을 안 냈잖아! 그 책이 아직 코트 주머니에 있었어."

가판대 앞에서 손수건을 도둑맞던 날, 브라운로우 씨가 읽고 있던 책을 실수로 주머니에 넣어 버린 거야. 그러고는 지금까지 책값을 내지 않았

던 거지. 브라운로우 씨는 너무 당황했어. 당
장이라도 책값을 내고 싶었지.

"제가 대신 다녀올게요."

올리버가 말했어. 자기
에게 친절을 베푼 이 신
사를 위해 무슨 일이라
도 하고 싶었거든.

"아, 물론 저를 믿고
돈을 맡기신다면요."

"당연히 널 믿지, 올
리버. 하지만 그동안 몸
이 아팠으니 함부로 뛰면
안 된다."

"이제 많이 좋아졌어요."

올리버의 말은 사실이었어. 올리버는 그 어느 때보다 건강한 기분이었으니까. 브라운로우 씨는 가판대 사장에게 쓴 편지와 함께 5파운드를 올리버 손에 쥐어 주었어.

올리버는 돈과 편지를 재킷 주머니에 넣고 길을 나섰어. 이렇게 길에 나온 건 몇 주 만이었지.

다시
페이긴의 집에서

페이긴과 빌 사이크스는 올리버를 잊지 않고 있었어. 사이크스는 혼자 계획도 세워 두고 있었지. 그의 특기는 밤에 부잣집에 몰래 들어가서 도둑질을 하는 거였는데, 올리버는 몸집이 작아서 좁은 창문 사이를 통과하기 좋아 보였거든.

그래, 사이크스는 올리버가 있으면 참 좋겠다 싶었어.

페이긴과 빌은 걱정도 됐어. 올리버가 체포 당해서 치안 판사의 법정에 끌려갔다는 걸 알고 있었거든. 그들은 올리버가 브라운로우 씨의 집에 간 것까지도 다 알고 있었어. 페이긴의 집에 사는 소년들 몇 명이 그날 택시를 쫓아가서 확인했거든.

다만 올리버가 뭐라고 했을지 너무 궁금했어. 올리버는 다저나 찰리처럼 뻔뻔한 도둑이 아니었어. 다저나 찰리라면 끝까지 비밀을 지켰겠지. 하지만 올리버 트위스트는 언제라도 비밀을 털어놓을 것 같았어. 갑자기 경찰들을 끌고 집 앞에 나타날 것 같았지.

그래서 그들은 피해를 보기 전에 올리버를 먼저 손보기로 했어. 올리버가 브라운로우 씨 집에 있는 동안은 어쩔 수 없었지. 하지만 그가 길거리로 나오는 순간······.

공교롭게도 올리버는 이미 거리로 나온 뒤였어.

올리버는 거리를 마구 달리고 있었어. 머릿속은 가판대 사장에게 돈을 내고 브라운로우 씨에게 거스름돈을 갖다줄 생각으로 가득했지. 올리버는 자기가 얼마나 믿을 만한 사람인지 빨리 증명해 보이고 싶었어.

그런데 어떤 여자가 갑자기 소리를 질렀어.

"올리버잖아!"

올리버는 목소리만으로도 그 사람이 낸시라
는 걸 알아챘어. 그리고 곧 낸시 옆에 빌 사이
크스도 함께 있다는 걸 깨달았지만, 이미 너
무 늦어 버렸지. 사이크스는 올리버의 팔을 붙
잡고 끌고 갔어. 낸시는 올리버의 이름을 부른
게 너무 미안해서 어쩔 줄을 몰랐어.

사이크스는 무슨 일인가 싶어 쳐다보는 행인들에게 으르렁거렸어.

"이 애는 제 아들입니다. 신경 쓰지 마세요."

두 사람은 달리다 비틀거리고, 또 비틀거리다 달리기를 반복하며 지저분하고 가난한 지역으로 향했어. 올리버는 틈만 나면 도망갈 기회를 엿보았지만, 사이크스가 너무 꽉 잡고 있어서 그럴 수 없었지. 이윽고 두 사람은 페이긴의 집 앞에 도착했어.

둘은 어두운 복도를 지나, 쓰러질 것 같은 계단을 올라, 그을음 가득한 방으로 들어갔어.

페이긴은 탁자에 앉아 평소처럼 손수건을 들여다보고 있었어. 얼굴 양옆으로 빨간 머리를 길게 드리우고 말이야. 구석에는 찰리와 아이들 몇 명이 쉬고 있었어.

"잡아 왔어요."

사이크스가 말했어.

"또 만나서 반갑구나, 꼬맹아."

페이긴이 말했지.

"어떻게 지냈어, 올리버?"
찰리가 물었어.

하지만 올리버는 대답하지 않았지. 올리버는 브라운로우 씨가 무척 걱정됐어. 올리버가 책값을 내고 돌아오기만을 하염없이 기다리고 있을 테니까. 올리버가 돌아오지 않으면, 그는 올리버가 돈을 들고 도망쳤을 거라고 생각할 거야. 그러면 브라운로우 씨가 보기에 올리버는 영락없이 도둑이 되는 거지.

올리버는 페이긴의 패거리로 돌아온 것보다 브라운로우 씨를 실망시키는 게 더 끔찍했어.

"아주 멋진 걸 걸쳤네."

사이크스가 올리버의 코트를 만지작거렸어.

"돈도 많은데?"

찰리가 올리버의 주머니에서 5파운드를 꺼

내며 말했어.

"우리 얘기를 한 대가로 받은 거겠지?"

사이크스가 말했어.

"제 돈이 아니에요."

올리버가 대답했어.

"그래, 아니야. 이젠 우리 돈이니까."

찰리가 말했어.

"이곳에 대해 누구에게 말했지?"

사이크스가 캐물었어.

"아, 아, 아무에게도 말 안 했어요."

올리버가 말을 더듬었어. 페이긴은 찰리가 들고 있던 동전을 빼앗았어. 그리고 기다란 발톱 같이 생긴 비쩍 마른 손으로 올리버의 어깨를 꼭 잡고 이렇게 속삭였지.

"그냥 다 털어놔, 꼬맹아."

"아무 말도 안 했다고요."

올리버의 말은 사실이었어.

옆에서 가만히 지켜보던 낸시가 거들었어.

"그래요. 올리버는 그럴 애가 아니에요."

"당신은 조용히 해, 낸시. 내가 말하라고 할 때만 하라고."

사이크스가 말했어.

사이크스와 페이긴은 벽난로로 가서 소곤소곤 이야기를 나눴어. 잠시 후 페이긴이 방 안의 사람들에게 큰 소리로 말했어.

"이곳은 더 이상 안전하지 않아. 우린 이제 제이콥스 아일랜드로 간다."

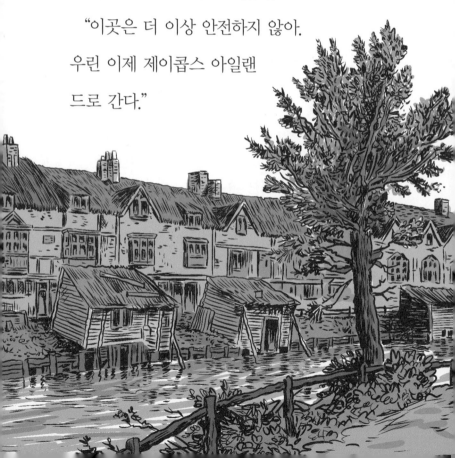

제이콥스
아일랜드

제이콥스 아일랜드는 런던 부두 근처에 있는 지역이야. 썰물 때 물이 차면 주변이 흙탕물 도랑으로 둘러싸여 섬이 되는 특이한 곳이었지. 제이콥스 아일랜드에는 금방이라도 무너질 것 같은 낡은 건물들이 다닥다닥 붙어 있었어.

건물들이 너무 오래된 나머지 절반은 이미 무너지고 있는 듯했고, 또 절반은 도랑으로 빠질 것처럼 보였어. 그러다 보니 범죄자들이 몸을 숨기는 곳으로 이곳을 자주 이용했단다.

웬만한 사람들은 굳이 찾아오지 않는 곳이었기에 페이긴과 사이크스가 보기에는 이보다 안전한 곳이 없었지. 그런데 다른 아이들이 집 밖을 자유롭게 드나드는 반면, 올리버는 방 안에서 꼼짝도 하지 못했어. 올리버는 문이 두 개 있는 2층 방에 갇혀 있었는데, 문은 전부 꽁꽁 잠겨 있었어. 흙탕물 도랑이 내다보이는 창문이 있기는 했지만, 너무 작아서 창문으로도 도망을 칠 수 없었지.

낸시는 빵과 치즈, 가끔 고기 몇 조각을 갖

다 주었어.

"저는 이제 어떻게 되는 건가요?"

올리버가 물었어.

낸시는 대답 대신 올리버를 안아 주었어. 그 모습이 꼭 우는 것 같았지. 올리버는 낸시와 자기 자신이 너무 걱정되었어.

가끔 아래층에서 싸우는 소리가 들렸어. 대부분 빌 사이크스의 목소리였고, 낸시의 목소리도 한두 번 들려왔지.

그렇게 사나흘이 지났을까. 어느 해 지는 저

녁, 아래층에서 들려오는 목소리가 심상치 않았어.

사이크스가 몹시 화를 내며 소리를 질렀어.

낸시는 비명을 질렀지.

잠시 후 우당탕, 쿵 소리가 났어. 무언가, 혹은 누군가가 쓰러진 게 분명했어.

수상한 정적이 흘렀어.

올리버는 문에 귀를 갖다 대 보았지만 빠르게 뛰는 자기 심장 박동 소리 말고는 아무 소리도 들리지 않았어.

올리버는 작은 창문 쪽으로 가 보았어. 도
랑 위 부서질 듯한 다리가 보였어. 나무판자
몇 개로 얼기설기 엮어 놓은 불안한 다리였지.

어두워서 잘 보이진 않았지만 한 무리의 남자들이 올리버가 있는 집을 향해 난 다리를 우르르 건너고 있었어.

곧이어 현관문이 부서질세라 크게 쿵쿵 두드리는 소리가 났어. 빨리 문을 열라는 고함도 들려왔지.

급하게 열쇠를 찾는 소리가 나더니 올리버가 있는 방의 문이 벌컥 열렸어. 솜씨 좋은 다저가 헐레벌떡 안으로 들어왔어.

"무슨 일이야?"

깜짝 놀란 올리버가 물었어.

"덫이야."

다저가 말했어.

'덫'이란 경찰을 뜻하는 그들만의 속어였어.

"빌은 낸시가 경찰에게 이곳의 위치를 알렸
다고 생각해. 그래서 빌은 도망쳤고……."

　뒤의 내용은 아래층의 고함과 문 두드리는
소리에 묻혀 버렸어. 소리는 점점 거세졌어.

다저는 다른 문 앞으로 달려가 열쇠로 문을 열더니 번개처럼 빠르게 그 안으로 쏙 들어갔어.

올리버가 본 다저의 마지막 모습이었지.

그때 급하게 계단을 올라오는 묵직한 발소

리가 들렸어. 방으로 뛰어 들어온 건 다름 아
닌 빌 사이크스였지. 사이크스의 머리카락은
뾰족하게 곤두서 있었어. 그리고 손에는 둘둘
감은 밧줄이 들려 있었지.

사이크스는 올리버를 생전 처음 보는 사람
처럼 쳐다보았어. 그리고 올리버의 가슴을 세
게 밀어 쓰러뜨렸어.

사이크스는 다저가 도망쳤
던 문 앞에 서서 잠시 망
설였어. 그의 뒤로

저녁 하늘이 보였어.

사이크스가 말했어.

"누구나 도망칠 곳은 있는 거잖아, 안 그래?"

문밖으로 나가니 이웃집 지붕 사이에 자그
마한 베란다가 있었어. 사이크스는 이제 어떻
게 해야 할지를 고민하며 필사적으로 주위를

둘러보았지. 그는 밧줄로 올가미를 만들어 근처 높은 굴뚝에다 올가미를 걸려고 했어.

원래는 도랑 안에 몸을 숨길 작정이었는데 밀물 때문에 도랑물이 차올라 포기했던 거야.

아래쪽에서 경찰들의 목소리가 들려왔어. 어느샌가 사람들도 몰려와 소리를 질러 댔어. 그들이 사이크스를 응원하는 건지, 야유를 퍼붓는 건지는 분간하기가 힘들었어.

올리버는 문간에 선 채로, 해 질 녘 하늘을 배경으로 사이크스의 시커먼 그림자를 바라보았단다.

사이크스는 굴뚝을 향해 올가미를 던졌어. 하지만 올가미는 굴뚝에 한참 못 미쳐 떨어지고 말았어. 순간 사이크스는 중심을 잃었고 지붕 끄트머리로 굴러떨어졌지.

건물 밑에서 요란한 소리가 들려왔어.

그 후 끔찍한 정적이 흘렀지.

집

올리버는 브라운로우 씨의 집에 돌아왔어. 이제 올리버는 여기 머물게 되었단다. 이곳이 올리버의 집이 되었거든.

알고 보니 낸시가 브라운로우 씨를 찾아왔었대. 올리버가 제이콥스 아일랜드로 붙잡혀 간 게 너무 걱정돼서 그 소식을

알려 주러 왔던 거야. 브라운로우 씨는 페이긴 일당이 숨은 곳을 경찰에 알렸어. 하지만 그 대가를 치른 건 낸시였지.

사이크스는 자신들을 배신했다며 낸시를 비난했어. 그리고 목숨까지 빼앗았지.

올리버는 종종 낸시를 생각했어. 목숨을 걸고 자기를 지켜 주었으니 말이야. 한편 솜씨 좋은 다저는 다행히 어디론가 도망을 친 모양이었어. 페이긴은 도망가다 경찰에 붙잡혔다고 하니 참 잘됐지.

하지만 올리버에게는 이제 새로운 고민거리가 생겼어.

어느 날 올리버는 브라운로우 씨의 서재에
들어갔어. 그리고 이상하리만치 익숙한 젊은
여인의 그림을 빤히 바라보았어.

브라운로우 씨는 올리버가 잘 볼 수 있게 벽에서 그림을 떼어 냈어. 그리고 올리버의 얼굴과 젊은 여인의 얼굴을 번갈아 쳐다보았지.

"닮은 점이 안 보이니? 너랑 이렇게나 많이 닮았는데 너만 모르는 모양이구나, 올리버. 자, 이 그림을 가져라."

브라운로우 씨는 이 그림 속 주인공이 올리버의 이모라고 했어. 브라운로우 씨는 예전에 그림의 주인공과 결혼하려 했대. 그런데 안타깝게도 결혼식을 앞두고 그림 속 여인이 세상을 떠나고 만 거야. 여인에겐 아그네스라는 이름의 어린 여동생이 있었어.

브라운로우 씨는 아그네스와 연락하는 사이는 아니었지만, 아그네스가 힘든 일을 겪었고 아이까지 낳았다는 소식을 전해 들었대. 브라운로우 씨는 그 아이를 찾기 위해 숱하게 노력했지만 찾지 못했어. 거의 희망을 버렸을 때쯤, 가판대 앞에서 한 무리의 아이들에게 소매치기를 당했던 거야.

"너를 처음 본 순간, 너에게 익숙함을 느꼈단다. 비록 네가 흙먼지를 뒤집어쓰고 경찰관에게 끌려갔어도 어째서인지 네가 남 같지 않았어. 하지만 확신이 서지 않아서 난 조사를

해 보았단다. 네 과거를 아는 사람들에게 물어 봤지. 그들은 네가 아는 것보다 네 엄마에 대해 많이 알고 있더구나. 그렇게 네가 아그네스의 아들인 게 확실해질 무렵, 네가 페이긴에게 다시 잡혀간 거야."

브라운로우 씨의 목소리가 떨리기 시작했어.

올리버는 뭐라고 대꾸를 해야 할지 몰랐어. 뭐라 할 수가 없었지. 그저 손가락으로 그림 속 여인의 얼굴을 가만히 쓰다듬어 보았어. 그림 속 여인은 올리버와 올리버의 엄마를 이어 주는 연결 고리였으니까.

올리버는 조용히 엄마의 이름을 불러 보았어. 이제야 알게 된 엄마의 이름, 아그네스를.

찰스 디킨스

1812년 영국 포츠머스에서 태어났어요. 찰스 디킨스는 소설 속 등장인물들처럼 가난했고 힘든 어린 시절을 보냈어요. 하지만 어른이 된 그는 자신이 쓴 책으로 전 세계에 알려졌고, 그 시대 가장 중요한 작가 중 한 명으로 기억되고 있답니다.

피피 스포지토 그림

부에노스아이레스에서 태어났으며 늘 그림을 그려 왔어요. 어린 시절엔 공작용 점토로 인물 만들기도 즐겼고, 좀 더 커서는 유머 잡지를 디자인하기 시작했지요. 수많은 실험적 작가들의 원화에 둘러싸여 지내며, 호기심을 갖고 다양한 스타일의 그림을 그렸답니다. 그린 책으로 《크리스마스 캐럴》, 《두 도시 이야기》, 《위대한 유산》, 《올리버 트위스트》 등이 있습니다.

윤영 옮김

서울대학교 미학과를 졸업하고 같은 대학원에서 고고미술사학과를 수료했습니다. 현재는 번역 에이전시 엔터스코리아에서 번역가로 활동 중입니다. 옮긴 책으로는 〈암호 클럽〉 시리즈, 〈복면공주〉 시리즈 등이 있습니다.

올리버 트위스트

초판 1쇄 발행 2023년 6월 27일

글 찰스 디킨스 | 그림 피피 스포지토 | 옮김 윤영

ISBN 979-11-6581-427-4 (74840)
ISBN 979-11-6581-418-2 (세트)

＊잘못 만들어진 책은 구입하신 곳에서 바꾸어 드립니다.

발행처 주식회사 스푼북 | **발행인** 박상희 | **총괄** 김남원

편집 김선영·박선정·김선혜·권새미 | **디자인** 조혜진·김광휘 | **마케팅** 손준연·이성호·구혜지
출판신고 2016년 11월 15일 제2017-000267호

주소 (03993) 서울시 마포구 월드컵북로 6길 88-7 ky21빌딩 2층

전화 02-6357-0050(편집) 02-6357-0051(마케팅)

팩스 02-6357-0052 | 전자우편 book@spoonbook.co.kr

제품명 올리버 트위스트
제조자명 주식회사 스푼북 | **제조국명** 대한민국 | **전화번호** 02-6357-0050
주소 (03993) 서울시 마포구 월드컵북로6길 88-7 ky21빌딩 2층
제조년월 2023년 6월 27일 | **사용연령** 8세 이상
※ KC마크는 이 제품이 공통안전기준에 적합하였음을 의미합니다.

⚠주 의

아이들이 모서리에 다치지
않게 주의하세요.